AMAZONIA

Le livre du film

Johanne Bernard

De La Martinière
Jeunesse

À l'autre bout du monde, en Amérique du Sud, s'étend une région grande comme dix fois la France, traversée par un fleuve ondulant comme un serpent : l'Amazonie.
La forêt amazonienne est une très vieille forêt, la plus âgée de la Terre : elle a plus de 100 millions d'années ! C'est aussi l'une des forêts les plus riches de la planète, qui abrite des milliers d'espèces de poissons, d'oiseaux, de plantes, et des millions d'insectes. Un univers au climat chaud et humide qui fourmille de vie…

… Un monde totalement inconnu pour Saï,
un petit singe capucin âgé de 3 ans,
qui est né et a toujours vécu en captivité.

Aujourd'hui, Saï voyage
pour la première fois en avion.
Il quitte sa maîtresse pour rejoindre
un cirque à l'autre bout du pays.

C'est un grand jour !

Ne t'inquiète pas, Saï, tout va bien se passer.
À travers le hublot, Saï découvre un immense
océan vert : la forêt amazonienne.

Soudain, des éclairs éclatent dans
le ciel. L'avion tremble, sursaute
et se met à bouger dans tous les sens.
Pris dans la tempête, il chute…

et s'écrase en pleine jungle.

Saï est sain et sauf
mais il a très peur.

Un coati curieux se hisse dans la carlingue.
Il vient renifler le petit passager.
Un coup de patte, et hop !
la porte de la cage s'ouvre.

Saï a de la chance,
il peut enfin sortir.

Saï fait ses premiers pas dans la forêt. Il n'est pas très rassuré et observe tout autour de lui.

Tiens,
un insecte feuille !

D'où viennent
ces fruits jaunes ?

Du haut de l'arbre, où sont perchés les toucans qui se régalent de nèfles d'Amazonie.

Attention, Saï,
l'anaconda va te manger !

Saï poursuit l'exploration
de ce territoire étranger.
Il approche d'une rivière…

Oh, une branche pleine de nèfles !
Tel un équilibriste, Saï se penche
pour les attraper…

… et tombe à l'eau !

Accroche-toi, Saï !

Ouf !

Le radeau de Saï dérive vers un monde
inconnu peuplé de surprenantes créatures :

Vautour pape. Singe ouakari.
Singe laineux…

La nuit tombe, les caïmans rôdent.
Lémuriens et chouettes veillent.
Heureusement, la pluie fait repartir le
radeau de Saï qui parvient enfin
à sauter sur la berge.

Saï est perdu et il a faim.

Il y a bien les fruits jaunes dont Saï raffole en haut de cet arbre, mais les épines du tronc sont trop pointues.

Ces champignons rouges ont l'air bien appétissants…

Attention, Saï, ils sont très toxiques !

Saï est malade.

Allongé au creux d'un arbre,
il fait de drôles de rêves…

Un pécari vient le réveiller.

Apeuré, Saï s'enfuit.

Saï appelle au secours
mais personne ne lui répond.

Il est seul… Enfin,
pas tout à fait car,
le lendemain matin,

Gaia,

une femelle capucin,

apparaît.

Saï suit Gaia à travers la forêt,

jusqu'à un arbre immense…

où se trouve tout un groupe
de singes capucins !

Alpha,

le mâle dominant du groupe,
n’est pas content de voir un étranger arriver :

Saï n'a pas grandi avec eux,
il n'est pas le bienvenu.
Rejeté, Saï se retrouve à nouveau seul.

Isolé sur une branche,
il observe les autres singes,
très habiles pour trouver
de la nourriture.

En les imitant, Saï arrive enfin à se

rassasier !

Saï apprend vite mais il est toujours
à l'écart. Il profite de la sieste d'Alpha
pour venir en cachette

retrouver Gaia.

Chut…

Le répit est de courte durée :
en haut de la forêt, la harpie s'apprête à attaquer.
Elle s'élance et fonce sur le groupe de singes,
emportant dans ses serres un bébé capucin.

C'est la loi de la nature…

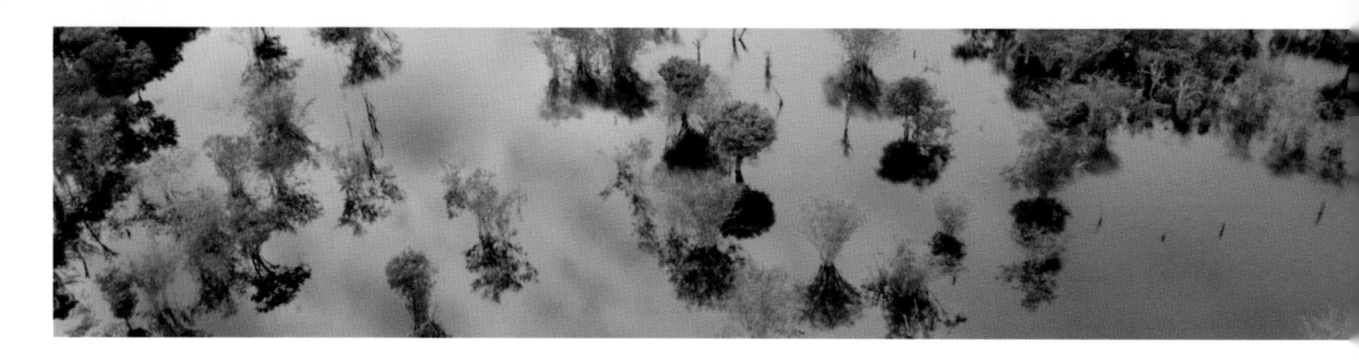

Le temps a passé. C'est la saison des pluies.
Le fleuve Amazone a envahi les berges.
Une grande partie de la forêt est inondée.
Saï rencontre de nouveaux animaux
comme le paresseux, le tatou et…

le dauphin boto

qui s'amuse à l'éclabousser !

Saï ne connaît pas encore
tous les dangers de la forêt…
Un jaguar rôde et se lance à sa poursuite.

Cours vite, Saï !

Saï a réussi à échapper au jaguar.
Du haut de l'arbre, il s'élance dans les airs

pour la première fois.

Gaia retrouve Saï, son héros.
Cela ne plaît pas du tout à Alpha
qui pousse Saï et le fait tomber.

Alpha n'acceptera jamais Saï.

Si Gaia veut rester avec lui,
elle doit quitter le groupe.

Entre le groupe et Saï,

Gaia a choisi !

Un nouveau jour se lève.
Gaia et Saï sont heureux…

Mais un drôle de
bruit envahit la forêt.

Saï s'avance et découvre une partie de forêt dévastée. Une petite fille s'approche gentiment. Saï la regarde…

Mais il préfère retourner
dans la forêt près de Gaia.

C'est ici que son cœur
bat maintenant.

Le coati

Le coati appartient à la même famille que le raton laveur. Comme lui, on le reconnaît à sa queue striée de noir.

L'insecte feuille

Pratique de ressembler à une feuille pour se camoufler dans la forêt !

Le toucan

Le toucan a un immense bec coloré qui, contrairement à ce que l'on pourrait croire, est très léger.

L'anaconda

Grand prédateur de l'Amazonie, l'anaconda est un serpent aquatique qui peut mesurer jusqu'à 8 mètres de long !

Le vautour pape

Le vautour pape se nourrit de cadavres d'animaux. Avec sa drôle de tête, il ne passe pas inaperçu.

Le singe ouakari

La face de l'ouakari devient rouge cramoisi quand il se met au soleil !

Le singe laineux

Sa fourrure est aussi douce que de la laine. Comme le singe capucin, il a une queue préhensile, qui lui permet de s'accrocher aux branches.

La chouette à lunettes

On peut trouver cette chouette, reconnaissable à ses yeux dessinés comme des lunettes, dans la cavité des arbres, où elle construit son nid.